LE CHEMIN DE L'ESPÉRANCE

OUVRAGES DE
STÉPHANE HESSEL

Danse avec le siècle, Seuil, 1997.
Dix pas dans le nouveau siècle, Seuil, 2003.
Ô ma mémoire : la poésie, ma nécessité, Seuil, 2006.
Citoyen sans frontières (avec Jean-Michel Helvig), Fayard, 2008.
Indignez-vous !, Indigène éditions, 2010.
Engagez-vous ! (entretiens avec Gilles Vanderpooten), Éditions de l'Aube, 2011.

OUVRAGES POLITIQUES DE
EDGAR MORIN

Introduction à une politique de l'homme, Seuil, 1965, « Points Politique », n° P029, 1969, nouvelle édition, « Points Essais », n° 381, 1999.
Pour sortir du XXe siècle, Seuil, « Points Essais », n° 170, 1984, édition augmentée d'une préface sous le titre *Pour entrer dans le XXIe siècle*, Seuil, « Points Essais », n° 518, 2004.
Penser l'Europe, Gallimard, 1987, « Folio », 1990.
Terre-Patrie, (en coll. avec Brigitte Kern), Seuil, 1993, « Points », n° P207, 1996.
L'An I de l'ère écologique : la Terre dépend de l'homme qui dépend de la Terre, Tallandier, 2007.
Vers l'abîme ?, Éd. de l'Herne, 2007.
Pour et contre Marx, Temps présent, 2010.
Ma gauche, François Bourin, 2010.
La Voie. Pour l'avenir de l'humanité, Fayard, 2011.

Stéphane
Hessel

Edgar
Morin

Le chemin
de l'espérance

Fayard

Couverture Atelier Didier Thimonier

ISBN : 978-2-213-66621-1

I

La France dans le monde

Chers concitoyens, notre propos est de dénoncer le cours pervers d'une politique aveugle qui nous conduit aux désastres.

Il est d'énoncer une voie politique de salut public.

Il est d'annoncer une nouvelle espérance.

La France, le monde, l'Europe

La France ne vit ni en vase clos ni dans un monde immobile.

Nous devons prendre conscience que nous partageons une communauté de destin planétaire ; toute l'humanité subit les mêmes menaces mortelles qu'apportent la prolifération des armes nucléaires, le déchaînement des conflits ethnoreligieux, la dégradation de la biosphère, le cours ambivalent d'une économie mondiale incontrôlée, la tyrannie de l'argent, la conjonction d'une barbarie venue du fond des âges et de la barbarie glacée propre au calcul technique et économique. Toute l'humanité, qui a subi la barbarie des totalitarismes au XXe siècle, voit désormais fondre sur elle l'hydre du capitalisme financier et, en même temps, déferler toutes sortes de fanatismes et de manichéismes ethniques, nationalistes, religieux. L'humanité entière est confrontée à un ensemble entremêlé de crises qui, à elles toutes, constituent la Grande Crise d'une humanité qui n'arrive pas à accéder à l'Humanité.

En 1932, Paul Valéry disait avec une lucidité on ne peut plus actuelle : « *Jamais l'humanité n'a réuni tant de puissance à tant de désarroi, tant de soucis et tant de jouets, tant de connaissances et tant d'incertitudes. L'inquiétude et la futilité se partagent nos jours*[1]. »

Un peu plus tard, Konrad Lorenz s'interrogeait : « *Il faut se demander ce qui porte le plus gravement atteinte à l'âme des hommes aujourd'hui : leur passion aveuglante de l'argent ou leur hâte fébrile.* »

Réponse : l'une et l'autre – l'une dans l'autre.

Nous avons un double devoir :

Le premier est un devoir de Français participants au destin planétaire des Terriens et qui portons dans notre héritage national les principes

---

1. « Discours sur l'histoire », in *Variété IV*, 1932.

universels qu'expriment si bien les onzième et douzième couplets, toujours méconnus aujourd'hui, de *La Marseillaise* :

XI

La France que l'Europe admire
A reconquis la Liberté
Et chaque citoyen respire
Sous les lois de l'Égalité (bis) ;
Un jour, son image chérie
S'étendra sur tout l'univers.
Peuples, vous briserez vos fers
Et vous aurez une Patrie !
(Refrain)

XII

Foulant aux pieds les droits de l'Homme,
Les soldatesques légions
Des premiers habitants de Rome
Asservirent les nations (bis).
Un projet plus grand et plus sage
Nous engage dans les combats,
Et le Français n'arme son bras
Que pour détruire l'esclavage.

La même ambition vibre dans le programme adopté en 1944 par le Conseil national de la Résistance et, quatre ans plus tard, dans la Déclaration universelle des droits de l'homme, adoptée à Paris grâce au concours de René Cassin.

Nous ne pouvons décider seuls du destin de notre planète, mais, au nom des principes illustrés par ces couplets et ces textes, nous pouvons formuler la grande, la longue et difficile voie vers une Terre-Patrie qui engloberait et respecterait les patries, dont la nôtre, ce qui commanderait le dépassement des souverainetés absolues des États-nations face à tous les problèmes globaux de l'ère planétaire, tout en respectant pleinement, par ailleurs, dans les autres domaines, leur souveraineté.

Le libéralisme économique prétendant succéder aux idéologies se révèle comme une idéologie en faillite. Son laisser-faire a déterminé des réussites partielles, mais a provoqué plus d'appauvrissements que d'enrichissements. Sous son égide, la mondialisation, le développement, l'occidentalisation – trois faces du même phénomène – se sont montrés incapables de traiter les problèmes vitaux de l'humanité.

L'impuissance du système planétaire à traiter les problèmes vitaux qu'il génère le condamne à la désintégration ou à la régression, à moins qu'il ne réussisse à créer les conditions de sa propre métamorphose, celle qui le rendrait capable à la fois de survivre et de se transformer.

Notre système planétaire est condamné à la mort ou à la métamorphose. Cette métamorphose ne peut advenir qu'au terme de multiples processus réformateurs-transformateurs qui se conjoindraient comme les rivières confluent pour former un fleuve puissant. Alors notre époque de changements serait le prélude d'un vrai changement d'époque.

Nous devons prendre conscience que la mondialisation constitue à la fois le meilleur et le pire de ce qui a pu advenir à l'humanité.

Le meilleur, parce que tous les fragments de l'humanité sont pour la première fois devenus interdépendants, qu'ils vivent une communauté de destin qui crée la possibilité d'une Terre-Patrie, laquelle, répétons-le, loin de nier les patries singulières, les engloberait.

Le pire, parce qu'elle a donné le départ à une course effrénée vers des catastrophes en chaîne. L'essor incontrôlé des pouvoirs manipulateurs et destructeurs de la science et de la technique, le déchaînement tous azimuts de l'économie de profit ont engendré la prolifération des armes de destruction massive et la dégradation de la biosphère, cependant qu'aux totalitarismes du XXᵉ siècle ont succédé la tyrannie d'un capitalisme financier qui ne connaît plus de bornes, soumet États et peuples à ses spéculations, et le retour de phénomènes de fermeture xénophobe, raciale, ethnique et territoriale. Les ravages conjugués d'une spéculation financière et de fanatismes-manichéismes aveugles amplifient et accélèrent les processus annonciateurs de catastrophes.

Nous devons en même temps prendre conscience que si le développement à l'œuvre aujourd'hui dispense des prospérités « à l'occidentale » à une fraction des populations du monde, il a aussi produit d'énormes zones de misère et sécrète en soi de gigantesques inégalités.

Il faut savoir à la fois mondialiser et démondialiser. Il faut poursuivre la mondialisation qui nous donne une communauté de destin d'êtres humains de toutes origines, menacés par des dangers mortels. Nous devons tous nous sentir solidaires de cette planète dont la vie conditionne la nôtre. Il nous faut sauver notre Terre-mère. Nous proposons de perpétuer et de développer tout ce que la mondialisation apporte d'intersolidarités et de fécondités culturelles, mais, dans le même temps, nous proposons de restituer au local, au régional, au national des autonomies vitales, et de sauvegarder et favoriser partout les diversités culturelles. Il nous faut démondialiser pour donner toute sa place à l'économie sociale et solidaire, pour sauvegarder l'économie du terroir, préserver l'agriculture vivrière et l'alimentation qui y est liée, les artisanats et les commerces de proximité, enrayer ainsi la désertification des campagnes et la raréfaction des services dans les zones périurbaines en difficulté.

De même devons-nous indiquer que la formule standardisée du développement ignore les solidarités, les savoirs et savoir-faire des sociétés traditionnelles, et qu'il faut repenser et diversifier le développement de façon à ce qu'il préserve les solidarités propres aux enveloppements communautaires.

Enfin, en commençant par chez nous, nous devons substituer à l'impératif unilatéral de croissance un impératif complexe, déterminant ce qui doit croître mais aussi ce qui doit décroître. Ainsi, s'il faut faire croître les énergies vertes, les transports publics, l'économie sociale et solidaire, l'école, la culture, les aménagements visant à l'humanisation des mégapoles, il faut parallèlement faire décroître l'agriculture industrialisée, les énergies fossiles et nucléaires, les parasitismes des intermédiaires, l'industrie de guerre, les intoxications consuméristes, l'économie du superflu et de la superficialité, notre mode de vie dilapidateur. Plutôt que d'opposer l'étendard de la croissance à celui de la décroissance, le temps est venu de dresser la liste de ce qui doit croître et de ce qui doit décroître.

Dans un monde désormais multipolaire, nous devons nous efforcer de donner consistance à l'Europe en lui donnant unité, autonomie et volonté politique. Cela lui permettrait d'agir sur tous les grands problèmes du siècle dans le sens de la compréhension humaine et de la paix. Elle devrait alors, d'une part élaborer une politique commune d'insertion des immigrés, d'autre part intervenir contre la radicalisation des conflits, générateurs de barbarie, partout où ils se déclenchent ou se prolongent, notamment la tragédie israélo-palestinienne dont les métastases se répandent sur la planète.

Nous lui assignons un grand dessein : de même que la Renaissance européenne des XVe-XVIe siècles fut créatrice de civilisation en revitalisant l'apport de la pensée grecque, nous essaierons de contribuer à une nouvelle Renaissance en intégrant l'apport moral et spirituel d'autres civilisations, notamment celui des sagesses asiatiques. Nous devons proposer au monde non la perpétuation, telle quelle, de l'occidentalisation, mais une politique de l'humanité qui, en tous points du globe, tenant compte des particularités, des richesses et des déficiences culturelles, viserait à opérer la synthèse du meilleur de toutes les civilisations.

L'idée d'une telle symbiose des civilisations devrait refouler définitivement l'idée d'un choc ou d'une guerre de civilisations.

L'Europe devrait continuer à développer en son sein les comportements humanistes, la démocratie effective, le respect des droits de l'homme et de ceux de la femme, mais réagir contre les dégradations de plus en plus nuisibles produites à l'intérieur comme à l'extérieur de ses frontières par sa civilisation même. D'où le rôle que devrait se donner la France en prenant la tête d'un mouvement pour une « politique de civilisation » qu'elle commencerait par appliquer dans son propre cadre national.

Par ailleurs, tout en sachant que la grande métamorphose ne saurait advenir que par le développement d'un processus multiforme, nous pouvons d'ores et déjà proposer aux nations une gouvernance mondiale qui non seulement réformerait et refonderait l'Onu, mais créerait des instances planétaires de décision pour les problèmes vitaux que sont la prolifération des armes de destruction massive, la dégradation de la biosphère, le retour des famines et la permanence des sous-alimentations, avec la nécessité d'une véritable régulation économique qui diminuerait les méfaits de la spéculation financière mondiale dont celle qui s'exerce sur les cours des matières premières.

Notre course à l'abîme a déjà suscité en divers points de la planète des situations explosives qui expliquent et justifient la prolifération géographique du mouvement des Indignés. L'accroissement des inégalités, le cynisme insolent des corruptions, un chômage endémique, voilà quelque-uns des points communs au chœur des révoltés du printemps arabe, des indignés d'Espagne et de Grèce, des émeutiers de Londres et des grandes villes anglaises, des protestataires israéliens, des soulèvements indiens.

Ayons conscience du moment dramatique que nous vivons pour l'espèce humaine, de ses ambivalences, de ses risques et périls, mais aussi de ses chances.

II

Une politique pour la France

> *Sous un bon gouvernement, la pauvreté est une honte ; sous un mauvais gouvernement, la richesse est une honte.*
>
> CONFUCIUS

> *La vraie vie est absente.*
>
> RIMBAUD

D'aucuns pensent que l'intégration croissante dans la mondialisation rendrait impossible toute politique nationale autonome qui résisterait aux contraintes et aux maux que sécrète cette même mondialisation tout en se révélant capable de bénéficier de ses aspects positifs. Nous voulons montrer que, face à ce défi nouveau, une nouvelle politique est possible, qui ouvrirait du même coup la voie à une régénération de notre société.

Beaucoup, conscients de notre dépendance vis-à-vis de la mondialisation, se sentent impuissants, se résignent, versent dans le fatalisme, et, perdant toute espérance, se dépolitisent ou s'enragent. Certains, conscients des maux engendrés par nos dépendances mondiales et européennes, estiment que le salut consiste à s'y soustraire, c'est-à-dire à démondialiser et déseuropéiser la France. C'est ne pas voir que l'isolement et la fermeture seraient un mal plus grand que celui auquel on prétendrait par là échapper. Nous voulons donner conscience de la possibilité d'une nouvelle politique nationale autonome à partir des double principes que nous avons énoncés : mondialiser et démondialiser, développer et envelopper. Démondialisation et enveloppement signifient, nous l'avons indiqué, la sauvegarde des intérêts vitaux des patries et des régions, la protection des cultures vivantes. Le double principe permet de définir une politique qui assure à la fois les solidarités planétaires, les solidarités nationales, celles des collectivités locales, les vertus des terroirs. Il permet de proposer une politique profondément réformatrice et transformatrice dans l'aire de la nation.

Pourquoi réformer et transformer ?

Il nous faut partir de ce triple diagnostic :

1) multiplicité et aggravation des problèmes et des maux qu'ont suscités et accrus notre société et notre civilisation ;

2) menaces croissantes planant sur les meilleurs acquis de notre société et de notre civilisation ;

3) mépris des valeurs affirmées par la Résistance et trop souvent violées par l'actuelle majorité gouvernementale.

Évoquons pour commencer les appétits déchaînés du profit, la dégradation des solidarités concrètes, l'hyperbureaucratisation des administrations publiques et privées, l'exacerbation et la pression de la compétitivité, forme dégénérée de la concurrence, la domination du quantitatif sur le qualitatif, les intoxications consuméristes poussant à l'achat de produits dotés de qualités illusoires, la dégradation de la qualité des aliments issus de l'agriculture et de l'élevage industrialisés, l'impuissance des consommateurs, des petits et moyens producteurs, des citoyens conditionnés et atomisés, la carence de plus en plus criante d'un système éducatif qui disjoint et enclot les connaissances interdisant ainsi la possibilité d'embrasser les problèmes fondamentaux et globaux de nos vies d'individus et de citoyens, la crise d'une pensée politique aveugle qui, soumise à un crétinisme économiste qui dégrade tous les problèmes politiques en questions de marchés, est incapable de formuler aucun grand dessein.

Évoquons ensuite les maux de notre civilisation : là où il est advenu, le bien-être matériel n'a pas apporté le bien-être mental, ce dont témoignent les consommations effrénées de drogues, anxiolytiques, antidépresseurs, somnifères des personnes aisées. La finalité du bien-être s'est dégradée en se concentrant exclusivement sur les conforts matériels. Le développement économique n'a pas apporté son pendant moral. L'application de la chronométrie, de l'hyperspécialisation, de la compartimentation au travail, aux entreprises, aux administrations et, finalement, à nos vies mêmes, a trop souvent entraîné une bureaucratisation généralisée, la perte d'initiative, la peur des responsabilités. Les progrès heureux de l'individualisme ont entraîné les régressions malheureuses des solidarités.

Il y a dans notre société carence d'empathie, de sympathie et de compassion, laquelle se traduit par l'indifférence, l'absence de courtoisie entre personnes habitant souvent un même quartier, un même immeuble, alors que dire bonjour à l'inconnu de rencontre signifie qu'on le reconnaît en tant qu'humain digne de sympathie. De même, il y a carence de compréhension au sein d'une même entreprise, d'une même famille. Quand la mission se réduit à la profession, il y a carence d'amour dans les soins médicaux et hospitaliers, dans l'enseignement, alors que, comme le disait Platon, « pour enseigner il faut de l'éros », c'est-à-dire de l'amour pour la connaissance que l'on enseigne comme pour ceux à qui elle est destinée. Ainsi que l'a justement rappelé Axel Honneth, « *c'est grâce à l'expérience de l'amour que chacun peut accéder à la confiance en soi* ». La forme suprême de la reconnaissance d'autrui est l'amour.

D'où le mal-être dans le bien-être, la solitude qui frappe 4 millions de personnes en France, principale cause des appels à SOS Amitié ; d'où ses conséquences : alcoolisme, consommation de drogues, dépression, maladies psychiques témoignent de la dégradation des reliances (solidarité sociale et familiale, etc.). Ajoutons-y les myriades de petits maux qui accablent, perturbent, obscurcissent nos vies : les interminables attentes aux guichets, aux urgences des hôpitaux, au téléphone, les renvois de service à service, de guichet à guichet, résultant de la surcharge des employés, elle-même liée à leur compartimentation, chacun enfermé dans son domaine de compétence, ainsi qu'aux réductions de personnels au nom de la rationalisation et de la compétitivité. En fait, ce ne sont pas seulement les demandeurs et les consommateurs qui souffrent de ces surcharges et de ces compartimentations, ce sont aussi les employés qui endurent des contraintes génératrices de stress, de maladies psychosomatiques, de dépression, voire de suicides. Il faut donc à la fois briser la bureaucratisation et juguler la compétitivité exacerbée.

Dans le même temps, les meilleurs acquis de l'histoire de France viennent à être menacés. Au cours du XXe siècle, la France républicaine, laïque, sociale, avait refoulé au second rang une France réactionnaire, fermée, xénophobe, raciste et autoritaire. Il a fallu le plus grand désastre militaire qu'ait jamais subi notre pays pour que cette seconde France, nostalgique d'autoritarisme et réactionnaire, celle de la fermeture xénophobe et raciste, qui avait rayé de ses frontons la devise Liberté Égalité Fraternité, triomphe sous le signe de Vichy. Mais cette seconde France compromise dans la collaboration avec l'occupant s'est effondrée à la Libération. La France républicaine et sociale parut alors s'affirmer définitivement. Or, voici qu'on assiste à la remontée d'un vichysme rampant imputable à aucun désastre militaire, à aucune collaboration, à aucun occupant. Nous n'allons pas analyser ici les causes nationales et plus générales de cette régression. Indiquons que la dissolution de la croyance au progrès historique, les incertitudes du présent, les turbulences économiques, la crise de civilisation, tout cela nourrit des angoisses qui, faute d'espoir en un futur meilleur, cherchent refuge dans les certitudes du passé, se replient sur une conception mutilée de l'identité nationale, trouvent leur bouc émissaire dans l'étranger, l'immigré, qui apparaît dès lors comme l'ennemi infiltré à l'intérieur du pays.

La xénophobie s'est désormais déchaînée officiellement : trop d'immigrés, trop d'étrangers, trop de quartiers à domination maghrébine ou africaine. Les Américains s'offusquent-ils, à New York, de Harlem, du Bronx, de quartiers entiers noirs, portoricains, juifs, italiens ou chinois ? La France, toujours multiethnique dans ses provinces, puis qui se continua au XXe siècle dans la francisation des immigrés, se trouve dans une situation intermédiaire par rapport aux États américains principalement peuplés d'immigrés mais qui ont refoulé leurs indigènes hors des identités nationales, assassinant l'histoire antérieure à la conquête européenne, faisant commencer la leur avec l'indépendance et la perpétuant avec leurs métissages. La France, pour sa part, est d'abord une métisse de Gaulois, de Romains, de Francs. Elle est le produit plus que millénaire d'une histoire faite de l'intégration d'ethnies en provinces les plus diverses (pour les Flamands, Alsaciens, Bretons, Basques, etc.), poursuivie, sous la IIIe République, par l'intégration de vagues successives d'immigrés. Ainsi, tout en s'affirmant une et indivisible, elle a toujours été une réalité multiculturelle, et celle-ci s'est amplifiée après la Seconde Guerre mondiale par de nouveaux flux de populations. En défendant les droits des immigrés, nous défendons le principe fondateur, générateur et régénérateur de la France : celui de la francisation. S'il nous faut une nouvelle résistance, ce n'est pas contre un occupant étranger, mais contre le mal intérieur qui ronge la nation.

Une culture fermée, une culture dévitalisée ne peut tolérer qu'un faible taux d'immigrés et ne sait les intégrer. Une culture vivante, une culture ouverte peut les intégrer en grand nombre. Il faut revitaliser la France, entretenir son ouverture. C'est nous qui, en voulant régénérer la France républicaine, exprimons par là son génie national.

La conjonction de l'aggravation de la crise de civilisation, de la crise de société et de la crise économique aggrave les périls. Les lézardes sociales deviennent cassures, l'exclusion s'accroît, nous allons comme des somnambules vers des désastres que l'on pressent mais qui demeurent encore imperceptibles. Le krach boursier de 1929 déclencha, dans une société angoissée, frustrée, disloquée, l'accession légale au pouvoir du nazisme, lequel suscita un processus conflictuel qui conduisit à la guerre de 1939-45. La crise actuelle exacerbe tout ce qui est ruptures, peurs, haines, et nous achemine vers de nouveaux abîmes. La crise des démocraties se trouve aggravée par la crise économique, et ces crises conjuguées accroissent la montée des extrêmes, que recouvre mal le mot « populisme », d'autant plus que la gauche, elle-même en crise, n'a pas encore réussi à orienter les mécontentements vers une issue émancipatrice, que les forces populaires, si actives dans le passé, sont morcelées ou disloquées, et que les sentiments d'impuissance et de résignation généralisées risquent de se transformer en fureurs et en délires. D'où l'urgence d'une autre pensée et d'une autre politique en tous domaines.

La politique du bien-vivre

Tous les grands et moindres maux que nous avons signalés, facteurs de dégradations politiques, sociales, civilisationelles, elles-mêmes génératrices de multiples dégradations quotidiennes au sein de nos existences, doivent être combattus par une politique régénératrice qui réformerait en profondeur à la fois notre société et nos modes de vie. L'hégémonie du quantitatif sur le qualitatif doit être renversée, tout en assurant néanmoins les quantités de biens et produits destinés à supprimer les dénuements. Elle doit viser l'épanouissement des autonomies, tout en les insérant dans des communautés. Elle ressusciterait les solidarités, ferait reculer l'égoïsme. Elle se préoccuperait non seulement du survivre (c'est-à-dire des obligations sans joies ni bonheurs), mais aussi du vivre qui se confond avec l'épanouissement dans la relation avec autrui et avec le monde, et où les émotions et les émerveillements esthétiques doivent être considérés non comme des luxes réservés à l'élite, mais comme des droits dévolus à chacun.

À cette fin, nous proposons une voie conjuguant une nouvelle politique économique et sociale, une politique du travail impliquant débureaucratisation et « décompétitivisation », une politique de la ville, une politique de la campagne, une politique de la production agricole, une politique de la consommation, tous moyens divers et complémentaires d'une politique du bien-vivre.

Le bien-vivre peut paraître synonyme de bien-être. Mais la notion de bien-être s'est réduite, dans notre civilisation, à son sens matériel impliquant confort, possession d'objets et de biens, ne comportant nullement ce qui fait le propre du bien-vivre, à servir l'épanouissement personnel, les relations d'amour, d'amitié, le sens de la communauté. Le bien-vivre, aujourd'hui, doit certes inclure du bien-être matériel, mais il doit s'opposer à une conception quantitative qui croit poursuivre et atteindre le bien-être dans le « toujours plus ». Il signifie qualité de la vie, non quantité de biens. Il englobe avant tout le bien-être affectif, psychique et moral.

Contre l'hégémonie de la quantité, du calcul, de l'avoir, nous devons promouvoir une vaste politique de qualité de la vie[1], c'est-à-dire, encore une fois, du bien-vivre. À cette fin, il nous faut favoriser tout ce qui va à l'encontre des multiples dégradations causées à la qualité de l'air, de la nourriture, des eaux, à la santé et au climat. Toute économie d'énergie doit se traduire par un gain de santé et de qualité de vie. Ainsi, la désintoxication automobile des centres-villes se traduira par une diminution des affections respiratoires et des maladies psychosomatiques. La réduction de l'agriculture et de l'élevage industriels au profit d'une ruralité fermière, l'assainissement des nappes phréatiques – c'est-à-dire de nos sources d'eau saine – restaureront la qualité des aliments pour une meilleure santé du consommateur. La réduction des intoxications consuméristes (dont la pollution publicitaire qui prétend offrir séduction et jouissance dans et par des biens superflus), du gaspillage des objets jetables, de la succession accélérée des modes qui rend obsolètes

----

1. Ce qu'Alain Caillé appelle de son côté une « politique de la convivialité ».

les produits en un rien de temps, nous conduira à renverser la course effrénée vers le « toujours plus » au profit d'une marche sereine vers le « toujours mieux ». Cette marche s'inscrira dans une action continue en faveur de deux courants qu'il convient de développer : la réhumanisation des villes et la revitalisation des campagnes, l'une et l'autre nécessaires au bien-vivre, la seconde impliquant la nécessité de réanimer les villages par l'installation du télétravail, le retour de la boulangerie, du bistrot, de la poste, de l'école primaire, l'entretien des routes vicinales et le maintien de transports collectifs. Revitalisation et repopulation des campagnes vont de pair.

Nous ne devons pas négliger de réformer les administrations publiques et d'inciter à la réforme des administrations d'entreprises. En ce domaine, il faut dé-bureaucratiser, dé-scléroser, dé-compartimenter, donner initiative et souplesse aux fonctionnaires et employés, accorder bienveillance, patience et attention à tous ceux qui doivent affronter les bureaux, à commencer par les personnes âgées et celles qui ne maîtrisent pas aisément la langue et les chiffres. La réforme de l'État s'effectuera non par augmentation ou suppression d'emplois, mais par modification de la logique qui considère les humains comme des objets soumis à la quantification plutôt que comme des êtres dotés d'autonomie, d'intelligence et d'affectivité.

Le bien-vivre suppose l'épanouissement individuel au sein de relations communautaires. Nos vies sont polarisées entre, d'un côté, une part prosaïque, que nous subissons sans joie, par contrainte ou obligation, et, d'un autre côté, une part poétique, qui est tout ce qui nous dispense plénitude, ferveur, exaltation, et que nous trouvons dans l'amour, l'amitié, les communions collectives, les fêtes, les danses, les jeux. La prose de la vie nous permet de survivre. Mais vivre, c'est vivre poétiquement. Notre politique de civilisation réussie permettrait à nos compatriotes d'exprimer au mieux leurs virtualités poétiques.

La revitalisation de la solidarité

Pour assurer le bien-vivre, il nous faudra revitaliser la solidarité. Nous proposons de créer des Maisons de la Fraternité dans les villes moyennes et grandes, ainsi que dans les quartiers des métropoles comme Paris. Ces maisons regrouperaient toutes les institutions publiques ou privées à caractère solidaire existant déjà (Secours populaire, Secours catholique, SOS Amitié, etc.) et comporteraient de nouveaux services voués à intervenir d'urgence auprès des victimes de détresses morales ou matérielles, à sauver du naufrage les victimes d'overdose non pas seulement de drogue, mais aussi de mal-être ou de chagrin. Vu les difficultés d'admission dans les hôpitaux, elles comporteraient un dispensaire fournisseur de soins d'urgence.

Alors que, du temps des structures autoritaires, familiales et sociales, les individus étaient psychiquement corsetés dans des normes imposées, au prix d'innombrables frustrations, les progrès de l'autonomie individuelle au sein de la famille et dans la vie sociale ont déterminé, en l'absence de communautés fortes et durables, une plus grande facilité et une plus grande fréquence des séparations et divorces, eux-mêmes facteurs de multiples névroses, douleurs, solitudes, perturbations psychiques qui nécessitent attention et amour pour être un tant soit peu soulagées.

Aussi les Maisons de la Fraternité seraient-elles autant de centres d'amitié et d'attention aux autres. Elles auraient une mission polymorphe : ce serait tout à la fois des lieux d'initiatives, de médiations, d'empathie, de compassion, de secours, d'informations, de bénévolat et de mobilisation permanente.

D'autre part, il est devenu urgent d'instituer un Service civique de la fraternité qui, outre qu'il répondrait aux besoins des Maisons de la Fraternité, se dévouerait sur les lieux de désastres collectifs – inondations, séismes, canicules, sécheresses, etc. –, non seulement en France, mais aussi bien en Europe et sur les autres continents. Ainsi, la fraternité serait profondément inscrite et vivante dans la société réformée à laquelle nous aspirons.

La revitalisation de la solidarité s'effectuerait aussi dans et par le développement de certaines réformes que nous avons évoquées ou sur lesquelles nous reviendrons : la réforme « débureaucratique », qui dérobotiserait les travailleurs des administrations et des entreprises, leur rendrait l'initiative, les ferait communiquer les uns avec les autres, les décloisonnerait par rapport aux usagers, leur ferait prendre une conscience solidaire du tout auquel ils participent ; la réforme de l'enseignement, qui ouvrirait les esprits juvéniles aux problèmes fondamentaux et globaux de leur vie à venir d'individus et de citoyens, et à la relation indissoluble individu/société/espèce.

Dans notre conception de la fraternité, les jeunes délinquants sont encore à un âge plastique où il est de notre devoir de favoriser les possibilités de réhabilitation et de rédemption. Nous considérons en particulier les immigrés non comme des intrus à rejeter, mais comme des frères issus de la misère, celle qu'a créée non seulement notre colonisation passée, mais aussi celle qu'a engendrée dans leur pays l'introduction de notre système économique, lequel a détruit leurs polycultures de subsistance, déporté leurs populations agraires dans le dénuement des bidonvilles urbains, et favorisé au sommet des États les pires corruptions.

Nous ne minimisons pas pour autant les problèmes de la sécurité, notamment tel que le ressentent tous ceux qui empruntent transports en commun et vivent en certaines banlieues. Mais, comme nous le montre la situation aux États-Unis, la répression ne fait que favoriser délinquance et criminalité, qui trouvent dans les prisons de véritables couveuses. Nous devons comprendre que ceux que notre société rejette la rejettent et nous rejettent. C'est à une politique de prévention rejetant le rejet que nous appelons. Nous ne devons pas la réduire à des mesures de résidentialisation, de vidéoprotection, d'installation de polices de proximité ; nous ne devons pas seulement développer un nouvel urbanisme et revoir l'aménagement du territoire. Nous devons mettre en œuvre une politique d'humanisation et de sollicitude : des exemples locaux, à Medellín en Colombie, à Rio dans le complexe de favelas Cantagalo et Pavão Pavãozinho, à Caracas, où un orchestre symphonique a été créé avec des jeunes des bidonvilles, nous montrent que reconnaître la dignité d'enfants et d'adolescents, leur fournir l'accès à l'instruction, à l'informatique, aux arts, et surtout leur offrir compréhension et affection, diminue drastiquement la délinquance juvénile.

Politique de la jeunesse

Nous devons énoncer une politique de la jeunesse en fonction de ce qu'est sociologiquement et culturellement l'adolescent : c'est le maillon le plus faible (parce que le moins intégré, entre le cocon de l'enfance et l'insertion dans les cadres adultes) mais aussi le plus fort de la société (parce que doté des plus grandes énergies, des plus fortes aspirations, des plus grandes capacités de révolte). C'est une force qui peut être explosive et émancipatrice, mais aussi ravageuse et destructrice quand elle est rejetée et ghettoïsée. Nous l'avons vu en région parisienne en 2005, à Londres à l'été 2011. Une politique de la jeunesse n'implique pas seulement la solidarité *via* un service civique, elle nous conduit à nous solidariser avec ses problèmes, à reconnaître la *dignité* de tous les jeunes rejetés.

L'éthique puisant sa source dans la responsabilité et la solidarité, tout ce que nous venons d'énoncer contribue à la revitalisation éthique et plus largement à la remoralisation d'une société que dégradent le développement de l'irresponsabilité et l'amplification de la corruption.

Notons que la corruption est devenue un phénomène majeur qui affecte les administrations, les États et les élus, et qui se répand dans tous les aspects de la vie grâce au règne de la monétarisation et à la dégradation de toutes les normes inhibant les égoïsmes. La remoralisation ne peut se satisfaire de leçons de morale. Elle commence avec la régression de l'hégémonie du profit, la revitalisation des solidarités. Par ailleurs, il faudrait restaurer, d'abord par l'exemple, éventuellement par une sévérité accrue, la moralité des administrateurs et fonctionnaires d'État, comme celle de toutes les professions comportant une mission sociale (médecins, enseignants, magistrats, élus, etc.). Ce pour quoi nous proposons la création d'un Conseil d'État éthique (formé de conseillers d'État et de membres de la Cour des comptes, de magistrats, de personnalités humanistes, de militants de l'humanitaire, etc.) qui programmerait en outre un enseignement de la bienveillance confucéenne pour tous ceux qui voudraient embrasser une carrière publique comportant responsabilité et/ou pouvoir.

Le travail et l'emploi

La crise du travail est double : elle affecte les conditions de travail et l'emploi.

Les conditions de travail sont rendues de plus en plus pénibles par la surcharge des personnels découlant des contraintes de la compétitivité, des rationalisations (qui appliquent la rationalité des machines artificielles à l'être humain). La réforme que nous avons esquissée consiste à développer dans les entreprises et les administrations une authentique rationalité humaine qui restaure la communication entre les secteurs compartimentés et autorise à la fois les initiatives créatrices et une participation de tous à l'ensemble du résultat. Par ailleurs, les horaires devront être conçus en fonction de l'intérêt du travail, de la fatigabilité, de la sécurité, plutôt que d'édicter un nombre fixe (40 heures, ou autre). De même, nous proposons de modifier certains régimes de retraite en supprimant l'âge limite pour les professions passionnantes, comme c'est déjà le cas en politique, dans les arts, la recherche, l'enseignement supérieur, etc., moyennant bien entendu des contrôles réguliers de la santé mentale ou physique de la personne, comme c'est déjà le cas pour l'émérit au CNRS. Ailleurs, selon le caractère des métiers et selon les vœux des travailleurs concernés, l'âge de la retraite serait différencié (avec, toujours, un contrôle annuel des capacités mentales et physiques par un corps de médecins assermentés).

En matière d'emploi, nous proposons d'instituer des aides stimulant la création et le développement de toute activité contribuant à la qualité de la vie. L'État assistanciel ou Welfare State est en régression dans notre pays, encore que l'essentiel de ses acquis soit préservé (mais pour combien de temps ?). Un nouveau type d'assistance est devenu nécessaire : non seulement il faut porter secours au malade, au chômeur, au très pauvre, mais l'aide publique doit désormais s'étendre à la création d'entreprises et d'œuvres nécessaires au bien-vivre collectif. Ainsi, l'État investisseur social doit-il complémenter l'État assistanciel.

La polyréforme économique : l'économie plurielle

En matière d'économie, nous promouvons une économie équitable, sociale et solidaire au sein d'une économie plurielle.

Ceux qui dénoncent le capitalisme sont incapables d'énoncer la moindre alternative crédible ; ceux qui le considèrent comme immortel s'y résignent. La social-démocratie est devenue muette sur ce qu'était son principal ennemi.

Au lieu de se résigner à un capitalisme jugé immortel, ou de croire au contraire qu'il agonise, l'économie plurielle englobe l'économie capitaliste et ses multinationales, mais en refoule progressivement la sphère. Elle en abolit la toute-puissance en s'attachant par priorité à exercer un contrôle strict sur le capitalisme financier.

En France, l'économie plurielle se préoccupera de développer les petites et moyennes entreprises, l'économie sociale et solidaire, le commerce équitable, l'éthique économique.

1) *Le développement de l'économie sociale et solidaire* comporte l'encouragement aux coopératives et mutuelles de production et de consommation, aux associations et métiers de solidarité, aux banques d'épargne solidaire et de micro-crédit, l'établissement de nouvelles mesures législatives et fiscales destinées à financer des projets de proximité, créateurs d'emplois.

2) *Le développement de l'économie équitable* portera sur le déploiement du commerce équitable qui sauvegarde les intérêts des petits producteurs,

d'une part, en réprimant puis supprimant les intermédiaires prédateurs, et en maintenant, d'autre part, un niveau de prix convenable pour parer aux fluctuations du marché des matières premières. Elle impliquera la neutralisation de la prédation des grands intermédiaires, notamment dans la consommation alimentaire, qui imposent un prix trop bas aux producteurs et trop élevé aux consommateurs. Elle favorisera les AMAPs[1] et autres formes de relations directes entre producteurs et consommateurs, ce qui aura par ailleurs l'avantage de favoriser la petite agriculture maraîchère, fermière et biologique.

3) *Le développement de l'« économie verte »* comportera non seulement la substitution des énergies saines aux énergies polluantes, donc l'installation des nouveaux moyens de production des énergies vertes (solaire, éolien, hydrolien, géothermie, etc.), mais elle impliquera aussi une politique de grands travaux d'humanisation et de dépollution urbaines, elle fera réduire les subventions à l'agriculture industrialisée pour les redistribuer à l'agriculture fermière ou biologique.

Nous devons procéder à notre propre *New Deal* en lançant des grands travaux d'infrastructures qui, du même coup, créeront des emplois, abais-

---

1. Associations pour le maintien d'une agriculture paysanne.

seront drastiquement le chômage et relanceront l'économie, alors que la politique dite de rigueur conduit à une récession accrue, à de nouvelles pertes d'emplois, à des diminutions de salaires et de rétributions, à une baisse de la consommation, qui aggravent la crise sociale en croyant réduire la crise économique.

Le développement de l'alimentation de proximité nous fournira des produits de qualité fermière et nous préparera de surcroît à mieux affronter les crises qui risquent de secouer de plus en plus la planète.

4) *Toute politique doit intégrer la problématique écologique* dans ses préoccupations fondamentales liées au bien-vivre, mais elle ne saurait se laisser désintégrer dans l'écologie. La sortie progressive du nucléaire fissionnel doit s'accompagner du maintien de la recherche sur le nucléaire fusionnel. Pour mieux éclairer les citoyens sur ces problèmes, nous proposons la création d'une enquête sur le sur-développement du nucléaire, la sous-information sur ses risques et le sous-développement des énergies renouvelables dans notre pays.

5) *L'État investisseur social.* L'État-providence est de plus en plus rongé par la mondialisation. Il convient de sauvegarder les garanties de base qu'il a maintenues ou créées, mais il faut aussi

développer à grande échelle l'État investisseur social. L'investissement social par l'État consiste à favoriser par des crédits (remboursables, en cas de succès) toutes les créations de petites et moyennes entreprises répondant à des besoins de salubrité, de convivialité, de secours multiformes, d'esthétique de la vie quotidienne. L'État investisseur devra s'engager dans un *New Deal* français mettant en œuvre une politique de grands travaux pour développer le ferroutage, élargir et aménager les canaux, créer des ceintures de parkings autour des villes et des centres-villes, inciter davantage aux transports collectifs et aux modes de locomotion individuels non polluants. Tout cela permettrait à la fois de créer des emplois et d'accroître la qualité de la vie. Les dépenses occasionnées par les grands travaux de salubrité urbaine seraient compensées en quelques années par la diminution du coût des maladies sociopsycho-somatiques provoquées par le stress, les pollutions et les intoxications.

6) *La réduction de la compétitivité, mais le maintien de la concurrence.* La concurrence s'exerce sur un marché régi par des règles. La compétitivité est une forme exacerbée de concurrence qui s'exerce au détriment des conditions de travail au sein des entreprises, elle conduit aux licenciements, lesquels accroissent la charge de travail des non-

licenciés. Comme la compétitivité se justifie par la nécessité de répondre au bas prix de marchandises importées, nous proposons de taxer celles, parmi ces dernières, dont le bas prix est dû à la surexploitation de travailleurs privés de liberté, comme en Chine, au prorata de sa différence par rapport au prix des marchandises nationales. Chaque fois que le « bon marché » est dû à la surexploitation dans des conditions qui interdisent activités syndicales et pluralisme politique une taxe à l'importation devra être appliquée. Par là se trouve ici illustré notre double impératif : mondialiser et démondialiser, ce dernier volet comportant des protections douanières variables et temporaires pour sauver de la mort certaines économies locales, régionales ou nationales.

7) *On jugulera la spéculation financière* par un contrôle étroit des banques, la supervision vigilante des agences de notation, une taxe sur les transactions immédiates, l'interdiction des paris sur les fluctuations de prix, une loi antitrust interdisant monopoles et oligopoles, et une action internationale pour la suppression des paradis fiscaux.

8) *On développera les subventions à l'agriculture et à l'élevage fermiers et biologiques* plutôt qu'à l'agriculture et à l'élevage industrialisés.

9) *Une bourse sera accordée aux familles défavorisées*, sur le modèle de la *bolsa familia* brésilienne, qui leur donnera les moyens monétaires destinés à l'éducation de leurs enfants et à leurs besoins les plus urgents.

Tous ces moyens concourront à faire régresser l'aire du capitalisme, l'hégémonie du profit, la puissance des lobbies financiers au sein de notre démocratie. Ils contribueront à opérer une véritable relance de l'économie commandée par la croissance du meilleur, notamment l'économie verte, et par la décroissance du pire, c'est-à-dire l'économie du gaspillage, du superflu, du jetable, des produits à valeur mythologique ou illusoire. Ils œuvreront par là à une progression du bien-vivre.

Politique de la consommation

La nouvelle politique économique se conjuguera à une nouvelle politique de la consommation.

Il y a sous-consommation des classes miséreuses à qui il faudrait fournir autre chose que du pain sans levain, du poulet aux hormones, de la viande de bétail artificiellement engraissé, des conserves aux ingrédients douteux. Une carte d'alimentation comportant des réductions de prix (la différence étant remboursée par l'État ou la région, à l'instar de tickets-repas) permettrait aux défavorisés d'accéder à une nourriture saine, fraîche et goûteuse.

En revanche, il y a surconsommation, dans les classes moyennes et pauvres, de produits malsains, excessivement salés ou sucrés, ces derniers étant des facteurs d'obésité pour les enfants et adolescents conditionnés par la publicité à ces « douceurs » qui produisent de véritables intoxications sucrières. Il y a surconsommation de produits dont les vertus sont exagérées ou illusoires, qui promettent santé, beauté, longévité, rajeunissement, virilité. Les consommateurs d'aujourd'hui ont de très faibles marges de choix conscients. Rares sont les publications qui les informent sur la valeur réelle des aliments (*Le Nouveau Consommateur*) ou des produits (*Que choisir*). N'ayant guère connaissance du juste prix, ils obéissent souvent aux publicités les plus séductrices.

Les consommateurs dispersés sont impuissants. Coalisés, ils constitueraient une force civique considérable disposant d'un pouvoir de sélection et de boycott, lequel pèserait sur la qualité et le prix des produits, et, du même coup, favoriserait le bien-vivre.

Nous proposons de créer un Office public de la consommation qui éduquerait les consommateurs (et introduirait l'enseignement de la consommation dans le cycle secondaire), veillerait à la qualité des produits et au contrôle des publicités. Il susciterait l'union des associations existantes en une Ligue nationale des consommateurs.

On favorisera l'agriculture maraîchère autour des centres urbains qui disposeront par là d'une alimentation de proximité, nous inciterons aussi à renoncer à la consommation en hiver de fruits d'été, nous protégerons nos producteurs fermiers d'ovins, de porcs et de bovins en taxant le bétail élevé en masse sur des continents lointains et en renforçant drastiquement les contrôles de traçabilité des aliments importés.

Inégalités

L'accroissement des inégalités depuis l'omnipotence du néolibéralisme économique accroît les formes de pauvreté, accentue la dégradation de la pauvreté en misère, augmente le pouvoir des riches, intensifie les corruptions au sein de la classe dirigeante, cependant qu'une petite oligarchie profite d'invraisemblables privilèges fiscaux.

Dans l'immédiat, nous proposons la constitution de trois Conseils permanents :

1) *Un Conseil permanent de lutte contre les inégalités* qui s'attaquerait en premier lieu aux excès (de bénéfices et rémunérations au sommet) et aux insuffisances (de niveau et de qualité de vie à la

base) ; il aurait pour mission de veiller à l'élévation annuelle des revenus les plus bas et à l'abaissement des revenus les plus hauts. Contre les précarités et dépendances liées à la misère, ce Conseil déterminerait un bouclier fiscal de protection des démunis, une politique intensive de construction de logements.

2) *Un Conseil permanent chargé d'inverser le déséquilibre* accru depuis 1990 dans la relation capital-travail.

3) *Un Conseil permanent traitant des transformations sociales et humaines* qui s'imposeront pour traiter les problèmes naturels, biologiques et sociaux engendrés par la dégradation de la biosphère : lutte contre les pollutions industrielles urbaines, rurales, développement des énergies renouvelables, protection et amélioration des qualités de vie.

Un solennel appel de citoyenneté sera adressé aux richissimes pour qu'ils envisagent d'eux-mêmes une nouvelle « nuit du 4 août » scellant un abandon d'une partie de leurs richesses, comme l'ont déjà fait certains milliardaires américains qui ont décidé d'abandonner la moitié de leur fortune ou de réclamer une augmentation de leurs impôts (Warren Buffet[1]). Cela est de toute

---

1. Certains grands patrons français, suivant cet exemple, ont demandé à être plus fortement taxés.

façon l'occasion de revoir de fond en comble l'assiette de l'impôt et de refondre notre fiscalité en profondeur.

Éducation

Nous devons promouvoir de vastes réformes pour poursuivre la démocratisation de l'enseignement, restituer leur dignité aux éducateurs, inverser la tendance à la suppression des postes[1]. Mais nous devons aussi effectuer une réforme profonde en vertu du principe formulé par Rousseau dans l'*Émile* : « *Je veux lui apprendre à vivre.* » Il s'agit de fournir à chaque élève les moyens d'affronter les problèmes fondamentaux et globaux qui sont ceux de chaque individu, de chaque société, de l'humanité entière. Ces problèmes sont trop souvent désintégrés dans et par des disciplines compartimentées.

Aucune amélioration ne sera apportée dans l'enseignement primaire, clef de tout l'édifice de l'Éducation nationale, sans une révision totale du problème de la formation des maîtres (par le retour aux Écoles normales stupidement supprimées alors qu'elles promouvaient les plus brillants

---

1. *L'École, changer de cap*, sous la dir. de Armen Tarpinian, Chronique sociale, 2007.

élèves des milieux défavorisés et en faisaient les meilleurs agents de l'intégration républicaine), par la revalorisation de leur métier (trop souvent considéré comme un salaire d'appoint), par l'orientation des maîtres les plus expérimentés et volontaires vers les classes et les zones les plus difficiles.

La mission fondamentale de l'enseignement secondaire est de permettre aux jeunes générations, à l'âge plastique et décisif de l'adolescence, d'affronter les problèmes de leur vie de personne, de citoyen et de Terrien. En ce sens, cet enseignement doit aborder les problèmes globaux et fondamentaux de nos vies et de notre époque, ce qui implique la coopération de savoirs disciplinaires demeurés séparés les uns des autres.

Il est capital d'enseigner non seulement des connaissances, mais ce qu'*est* la connaissance, menacée par le danger du dogmatisme, de l'erreur, de l'illusion, de la réduction, et d'enseigner par conséquent les conditions d'une connaissance pertinente.

Il est capital d'enseigner non seulement l'humanisme, mais aussi ce qu'*est* l'être humain dans sa triple nature biologique, individuelle et sociale, ainsi qu'une claire conscience de la condition humaine, de son histoire, de ses méandres, de ses contradictions, de ses tragédies.

Il est capital d'enseigner la compréhension humaine qui seule permet d'entretenir les solidarités et les fraternités. La compréhension humaine nous permet de concevoir à la fois notre identité et nos différences avec autrui, de reconnaître sa complexité plutôt que de le réduire à un seul caractère généralement négatif.

Il est capital d'enseigner la connaissance de l'ère planétaire que vit l'humanité, ses chances et ses risques, ce qui inclut les problèmes vitaux – pour chacun et pour tous – de notre époque marquée par la globalisation.

Il est capital d'enseigner à affronter les incertitudes que rencontrent inévitablement chaque vie individuelle, la vie collective et l'histoire des nations, lesquelles se sont aggravées en ce début du XXIe siècle pour nous-mêmes, nos sociétés, notre humanité.

Il est également capital de promouvoir un enseignement portant sur les problèmes de civilisation qui affectent notre vie quotidienne : situation de la famille, culture juvénile, vie urbaine, relations villes-campagnes (problèmes d'humanisation des villes et de revitalisation des campagnes), éducation à la consommation, aux loisirs, aux médias, à l'exercice actif des libertés démocratiques...

L'Université, de son côté, assume une double mission : la première est de s'adapter à la modernité, scientifique et sociale, de l'intégrer et de fournir des enseignements professionnels ; la seconde est de fournir une culture métaprofessionnelle, de caractère trans-séculaire, englobant l'autonomie de la conscience, la problématisation, le primat de la vérité sur l'utilité, l'éthique de la connaissance. Cette culture, qui dépasse les formes éphémères du *hic et nunc*, doit pourtant aider les citoyens à mieux vivre leur destin *hic et nunc*.

Il y a complémentarité et antagonisme entre les deux missions, s'adapter à la société et adapter celle-ci à soi ; l'une renvoie à l'autre en une boucle qui devrait être féconde. Il ne s'agit pas seulement de moderniser la culture ; il s'agit aussi de culturiser la modernité.

Plusieurs défis sont aujourd'hui lancés à cette double mission. D'abord, une pression suradaptive qui pousse à conformer l'enseignement et la recherche aux demandes économiques, techniques, administratives du moment, à épouser les dernières méthodes, les dernières recettes sur le marché, à réduire l'enseignement général et à marginaliser la culture humaniste. Or, toujours dans la vie comme dans l'histoire, la suradaptation à des conditions données a été non pas signe de vitalité, mais annonce de sénescence et de mort par perte de substance inventive et créatrice.

Il y a en outre compartimentation et disjonction entre culture humaniste et culture scientifique, lesquelles se sont accompagnées de la compartimentation entre les différentes sciences et disciplines. La non-communication entre les deux cultures entraîne de graves conséquences pour l'une et pour l'autre. La culture humaniste revitalise les œuvres du passé ; la culture scientifique valorise les acquis du présent. La culture humaniste est une culture générale qui, *via* la philosophie, l'essai, le roman, pose des problèmes humains fondamentaux et stimule la réflexion. La culture scientifique éveille une pensée vouée à la théorie, mais non une réflexion sur le destin humain et sur le devenir de la science elle-même. La culture scientifique apporte des connaissances fondamentales sur l'univers, la vie, l'humain, mais elle manque de réflexivité. Le moulin de la culture humaniste a cessé de recevoir et de moudre le grain vital des connaissances scientifiques. La frontière entre les deux cultures traverse certes de part en part la sociologie, mais celle-ci s'en trouve écartelée au lieu de faire circuler une navette qui les relie.

Tout cela nécessite une réforme de la pensée. Le savoir médiéval était trop bien organisé et pouvait revêtir la forme d'une « somme » cohérente. Le savoir contemporain est dispersé, disjoint, cloisonné. Déjà, une réorganisation du savoir est en cours. L'écologie scientifique, les sciences de la Terre, la cosmologie sont des sciences pluridisciplinaires qui ont pour objet non pas un secteur découpé hors contexte, mais un système complexe : l'écosystème – plus largement la biosphère, pour l'écologie ; le système-Terre, pour les sciences de la Terre ; l'étrange propension de l'univers à former et ruiner des systèmes galactiques et solaires, pour la cosmologie.

Partout est reconnue la nécessité de l'interdisciplinarité en attendant qu'on reconnaisse celle de la transdisciplinarité, que ce soit pour l'étude de la santé, de la vieillesse, de l'architecture et des phénomènes urbains, de l'énergie, des matériaux de synthèse, des formes d'art produits par les nouvelles technologies.

Mais la transdisciplinarité n'est une solution que dans le cadre d'une pensée complexe. Il faut substituer une pensée qui relie à une pensée qui disjoint, et cette reliance requiert que la causalité unilinéaire et unidirectionnelle soit remplacée par une causalité en boucle, multiréférentielle, que la rigidité de la logique classique soit corrigée par une dialogique capable de concevoir des notions à la fois complémentaires et antagonistes, que la connaissance de l'intégration des parties dans un tout soit complétée par la connaissance de l'intégration du tout à l'intérieur des parties.

La réforme de la pensée permettra de freiner la régression démocratique que suscite, dans tous les champs de la politique, l'expansion de l'autorité des experts, spécialistes de tous ordres, qui rétrécit d'autant la compétence des citoyens, condamnés à l'acceptation aveugle de décisions émanant de ceux qui sont censés savoir, mais, en fait, pratiquent une intelligence parcellaire et abstraite, qui brise la globalité et la contextualité des problèmes. Le développement d'une démocratie cognitive n'est possible que dans le cadre d'une réorganisation du savoir, laquelle appelle une réforme de pensée qui permettrait non seulement de séparer pour connaître, mais de relier ce qui est séparé.

Il s'agit là d'une réforme beaucoup plus ample et profonde sans laquelle une démocratisation de l'enseignement universitaire n'aurait pas d'effets décisifs sur la conscience de notre jeunesse. Il ne s'agit pas d'une réforme programmatique, mais paradigmatique, qui concerne notre aptitude à organiser la connaissance.

Dans le même temps, et par cela même, nous pourrons régénérer la culture générale, car chacun a besoin, pour savoir ce qu'il est en tant qu'être humain, de se référer à sa situation dans le monde, la vie, la société, l'histoire.

La culture esthétique

Une grand part de la culture revêt un caractère esthétique (littérature, musique, peinture). Comme nous pensons que toute politique du bien-vivre doit cultiver la poésie de la vie, laquelle implique la capacité de participation affective, d'admiration, d'émerveillement, elle se doit de favoriser la culture esthétique qui nous aide à vivre poétiquement. Souvent, durant le temps de la participation esthétique, elle nous humanise, comme au cinéma, par exemple, grâce auquel nous comprenons et aimons celui que nous ignorerions et mépriserions dans le vivre quotidien – le vagabond, le criminel, l'ennemi – car nous sommes sensibles, sur l'écran, aux aspects humains de sa personnalité, parfois inhumaine par ailleurs.

Le monde est à la fois merveilleux et horrible. L'esthétique nous aide à nous émerveiller et nous permet de regarder l'horreur en face. Ainsi le second mouvement du Quintette en C majeur, D 956 de Schubert exprime la pire douleur de l'âme, et pourtant il nous procure un bonheur musical ineffable.

L'esthétique des œuvres nous permet de développer une esthétique de vie quotidienne. « La nature imite ce que l'œuvre d'art lui propose », a-t-on dit. Elle favorise en nous l'émerveillement devant la mer, les cimes neigeuses, les grands arbres, un papillon qui volète, un enfant qui gambade, un chien fou d'amour qui bondit au plus haut vers son maître, un beau visage...

Voilà donc tout ce qui devrait animer une politique de la culture : une politique de l'esthétique qui contribuerait à essaimer et démocratiser la poésie de vivre, à faire que chacun puisse connaître de belles émotions et que chacun découvre ses propres vérités à travers des chefs-d'œuvre, ce qui est arrivé aux deux auteurs de ce livre.

L'État

L'État s'est notablement affaibli sous l'effet d'une économie mondialisée, de l'intégration de plus en plus poussée dans l'Union européenne, et en abandonnant à l'économie privée des pans entiers des services publics. En outre, ces dernières décennies, un certain nombre de pouvoirs centraux ont été dévolus aux régions.

Tout en poursuivant l'intégration européenne, notamment dans des domaines refusés jusque-là par nos partenaires les plus libéraux, tout en poursuivant la part positive de la mondialisation, nous proposons de préserver ce qui, sous le nom de subsidiarité, et en tant que complément antagonique de la mondialisation, peut maintenir l'autonomie de l'État au sein d'une interdépendance.

Réforme de la politique et revitalisation de la démocratie

Il existe incontestablement des processus de dégénérescence, de dessèchement de la démocratie. La dérive oligarchique est l'une d'elles, mais il en est d'autres. La perte de sève citoyenne est aussi à l'origine de ces dérives, comme l'absence de démocratie cognitive, c'est-à-dire l'incapacité des citoyens à acquérir des connaissances techniques et scientifiques qui leur permettraient de comprendre et de traiter de problèmes de plus en plus complexes.

Les besoins matériels, économiques et techniques sont très grands, et il faut assurément y répondre. Mais il en est d'autres – à commencer par celui d'être reconnu comme un humain à part entière – que ressentent profondément ceux que la rentabilité et la compétitivité traitent en objets considérés seulement en termes de calcul, ceux qui sont ignorés, oubliés, offensés, humiliés, méprisés, « poubellisés ». La politique du bien-vivre entend combattre non seulement les misères matérielles, mais aussi les détresses morales, les solitudes, les humiliations, les mépris, les dénis, les incompréhensions (ce qui exhorte à l'enseignement, dès l'école primaire, de la compréhension d'autrui).

La réforme de la pensée politique se hisserait enfin à la prise en considération et à l'affrontement des problèmes fondamentaux et globaux, ceux-ci sont inséparables des réformes que nous proposons, qui sont des réformes d'humanisation et de réhumanisation de la société : *ces réformes seraient elles-mêmes à la fois le produit et le moteur de la politique du bien-vivre. Cette nouvelle politique ouvrirait une perspective, donc une espérance, et solidariserait la nation au cœur de cette espérance.*

L'impulsion pour cette grande réforme surgira des profondeurs de notre pays quand il percevra qu'elle répond à ses besoins et aspirations. Car, sclérosé dans toutes ses structures bureaucratisées, ce pays est on ne peut plus vivant dans ses tréfonds. La démonstration en a été apportée par le succès remarquable de l'appel *Indignez-vous !*[1], accueilli non seulement en France, mais dans le reste du monde, comme une invitation à risquer la mise en question de pesanteurs inacceptables. Changement individuel et changement social sont

---

1. Indigène, 2010.

indissociables, chacun seul est insuffisant. La réforme de la politique, la réforme de la pensée, la réforme de la société, la réforme du mode de vie se conjugueront pour produire une métamorphose de la société. Les avenirs radieux sont morts, mais nous fraierons la voie à un futur possible.

La voie pour une politique du bien-vivre ne peut se développer si l'on n'entreprend pas de juguler la pieuvre du capitalisme financier et la barbarie de la purification nationale. Le capitalisme financier n'est pas le capitalisme productif ; il parasite celui-ci en détournant les capitaux du secteur productif au profit de la spéculation. Mais le capitalisme productif est actuellement perverti par la productivité et la compétitivité qui s'exercent, comme nous l'avons dit, au détriment des travailleurs soumis à de pénibles contraintes ou au licenciement. Ce sont des taxes douanières raisonnées et provisoires, d'une part, le renouveau du syndicalisme des travailleurs, d'autre part, et, plus largement, la régénérescence de la gauche qui pourront freiner, comme ce fut le cas par le passé dans les nations occidentales, les pires excès de l'exploitation. Ainsi les réformes conjointes que nous proposons feront régresser en tous domaines l'hégémonie du profit tout en abolissant la spéculation financière.

La barbarie de la purification nationale a conduit à l'Inquisition et aux expulsions des musulmans et des juifs d'Espagne en 1492. Elle a provoqué les guerres de religion des XVIe et XVIIe siècles en Europe, suscité les purifications ethniques du XXe siècle et l'extermination nazie. Elle menace à nouveau les nations européennes, dont la France. Elle mène ainsi au fanatisme purificateur et expulseur, qui a pour racines mentales, comme tous les fanatismes, d'une part le manichéisme, c'est-à-dire une conception diabolisante de ceux que l'on rejette ou veut détruire, d'autre part la réduction de l'autre au pire aspect (réel ou imaginaire) de sa personne. La lutte contre manichéisme et réductionnisme ne peut se borner à faire appel à la rationalité, elle ne peut devenir efficace que si l'on développe, à partir d'une réforme efficiente de l'enseignement, une pensée complexe capable de voir l'ensemble des caractères divers ou ambivalents d'un même phénomène, d'une même population, d'une même personne, y compris soi-même.

Ainsi donc, c'est bien une lutte sur deux fronts que nous devons mener, et non contre un seul ennemi ; cette double lutte dégagera la voie pour la politique du bien-vivre.

Un peu partout dans le monde, en dépit de leur extrême diversité, des peuples viennent de se dresser contre les pires aspects du pouvoir effréné de l'argent : pays arabes, Israël, Inde, Chili, Espagne, Grèce, Islande, etc. – et cette indignation active devrait gagner notre pays. Un peu partout dans le monde, des bonnes volontés ont guidé ces révoltes. Mais ces insurrections n'ont pas une pensée politique à leur disposition qui leur permette de les organiser et de les orienter.

C'est bien une telle pensée que l'un de nous a essayé d'élaborer dans *La Voie*[1] et que nous essayons de formuler ici dans et pour le contexte de notre pays.

Cette voie vers une nouvelle politique, nous pouvons la tracer en France, agir pour la faire adopter en Europe ; faisant à nouveau de notre pays un exemple, elle offrirait la perspective d'un salut planétaire.

La régénération

Nous ne voulons pas fonder un parti nouveau, ni nous rallier à un parti ancien, mais nous souhaitons que s'opère une régénérescence à partir des quatre sources qui alimentent la gauche : la source libertaire, qui se concentre sur la liberté des individus ; la source socialiste, qui se concentre sur

---

1. Fayard, 2010.

l'amélioration de la société ; la source communiste, qui se concentre sur la fraternité communautaire. Ajoutons-y la source écologique, qui nous restitue notre lien et notre interdépendance avec la nature et plus profondément notre Terre-mère, et qui reconnaît en notre Soleil la source de toutes les énergies vivantes.

Nous souhaitons que les partis politiques actuels, dont les ressourcements sont taris et se sont de surcroît fossilisés, acceptent de se décomposer pour une recomposition qui puiserait conjointement aux quatre sources.

Nous ne proposons pas de pacte aux partis existants. Nous souhaitons contribuer à la formation d'un puissant mouvement citoyen, d'une insurrection des consciences qui puisse engendrer une politique à la hauteur de ces exigences.

Nous avons essayé de la définir[1]. Sachons que si elle devient exemplaire, elle pourrait s'européiser

---

1. Nous ne sommes pas les seuls à préparer cette nouvelle politique. Patrick Viveret, animateur des « Dialogues en Humanité », Claude Alphandéry, pionnier de l'économie sociale et solidaire, Alain Caillé (*De la convivialité,* La Découverte, 2011), Hervé Sérieyx et André-Yves Portnoff (*Aux actes citoyens !,* Maxima, 2011), Camille Landais, Thomas Piketty, Emmanuel Saez (*Pour une révolution fiscale,* Le Seuil/La République des idées, 2011), Pierre Larrouturou, (*Pour éviter le krach ultime,* Nova éditions, 2011), les « Économistes Atterrés », toutes ces pensées, tous ces travaux sont amenés à s'entre-féconder et à converger.

et se répandre sur la planète entière, fécondant ainsi une politique de l'humanité.

Nos propositions ne sont pas exhaustives, elles sont formulées pour être critiquées, complétées, remaniées. Mais ce qui pour nous est certain, c'est que nous avons besoin aujourd'hui d'une nouvelle politique, une politique du vouloir-vivre et revivre qui nous arrache à une apathie et à une résignation mortelles. Cette politique du vouloir-vivre prendra les traits d'une politique du bien-vivre telle que nous l'avons esquissée ici.

Le vouloir-vivre nourrit le bien-vivre, le bien-vivre nourrit le vouloir-vivre ; l'un et l'autre, ensemble, ouvrent le chemin de l'espérance.

TABLE

Photocomposition Nord Compo
Villeneuve-d'Ascq

Achevé d'imprimer
sur les presses de la Nouvelle Imprimerie Laballery
58500 Clamecy
Dépôt légal : octobre 2011
Numéro d'impression : 110105
36.10.3057-1/03

Imprimé en France